Au Père Noël qui ne m'a jamais oubliée, merci !
OL

Le loup
qui n'aimait pas Noël

Texte de Orianne Lallemand
Illustrations de Éléonore Thuillier

AUZOU

Il était une fois un gros loup noir qui n'aimait pas Noël.
Il s'appelait Loup.

À Noël, il y avait trop de lumières, trop de chansons, trop
de décorations. Vraiment, cette fête lui donnait mal à la tête.
Et plus décembre approchait, plus Loup se renfrognait.

Chez
Loup

3

Ce matin-là, quand Loup se réveilla, tout était blanc dans la forêt. Enchanté, il s'habilla chaudement et sortit se promener.

4

« You-hou ! Lou-oup !

– Salut les amis ! fit Loup en découvrant Maître

Hibou et Valentin perchés tout en haut d'un sapin.

Voulez-vous faire une bataille de boules

de neige avec moi ?

– Désolé Loup, mais nous installons les guirlandes

lumineuses pour Noël. Tu viens nous aider ?

– Certainement pas ! répondit Loup.

Je déteste Noël. »

5

Plus loin, Loup s'arrêta chez son ami Joshua. Ce dernier
était dans son salon, en train de choisir des décorations.
« Salut Joshua, fit Loup, tu as vu toute cette neige !
Veux-tu venir t'amuser avec moi ?

— Désolé, Loup, mais aujourd'hui, je décore mon sapin de Noël. Tu veux m'aider ?

— Certainement pas ! répondit Loup agacé. Je déteste Noël. »
Et il continua son chemin.

Loup arriva chez son ami Gros-Louis.
Une délicieuse odeur s'échappait de la cuisine.
« Salut Gros-Louis ! Tu viens faire un bonhomme
de neige avec moi ?

POUAH !!!

– Désolé, Loup, mais je n'ai pas le temps. Je prépare des sablés de Noël à la cannelle. Tu veux les goûter ?

– Certainement pas ! répondit Loup. Je déteste la cannelle… et d'abord, je déteste Noël ! »

CHAMPION
DES BOIS

Un peu plus loin, Loup frappa
chez son ami Alfred.
« Salut Alfred, tu veux faire
une bataille de boules de neige ?
— Désolé, Loup, mais j'écris
ma lettre au Père Noël.
Il faut que je la poste aujourd'hui.
Et toi, tu as déjà envoyé la tienne ?

– Certainement pas ! répondit Loup.
Je déteste Noël ! »

Et il ajouta, en bougonnant :
« De toute façon, le Père Noël
ne m'apporte jamais rien à moi ! »

11

Loup alla ensuite chez Louve.
Elle, au moins, aurait du temps pour lui.

« Bonjour Louve. Tu as vu comme la forêt est belle aujourd'hui !
As-tu envie de venir te promener avec moi ?
— J'aurais adoré, répondit Louve. Mais je dois préparer le dîner
pour le réveillon de Noël, demain soir. D'ailleurs, tu es invité ! »

Loup sentit la moutarde lui monter au nez.
« Noël, toujours Noël ! Moi, je déteste Noël !
– Mais... pourquoi détestes-tu Noël ? demanda Louve, très étonnée.
Noël, c'est des étoiles, se retrouver tous ensemble autour d'un sapin,
partager un bon repas... Noël, c'est tellement bien ! »

Pendant un moment, Loup ne dit rien.
Puis d'une petite voix, il grommela :
« Moi, je n'ai jamais fêté Noël. »

Louve en resta ébahie.

« Raison de plus pour que tu m'aides à préparer le repas !
fit-elle enfin. À nous deux, ce sera beaucoup plus amusant. »
C'est ainsi que Loup passa l'après-midi avec Louve.
Elle lui montra comment cuisiner la dinde de Noël,
et ils s'amusèrent beaucoup
à écraser les marrons
pour faire la farce.

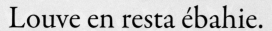

Pour le dessert, ils firent
une énorme bûche au chocolat.

Quand tout fut terminé, la nuit était tombée.

« J'ai passé un très bon après-midi, fit Loup en se léchant les babines. Maintenant, je suis le roi de la dinde farcie et de la bûche au chocolat !

– J'ai adoré préparer ce repas
avec toi ! répondit Louve.
Merci pour ton aide,
et à demain. »

Arrivé devant chez lui, Loup poussa un « Oh ! » émerveillé.
Des guirlandes étaient accrochées sur le toit de sa maison !
Elles scintillaient dans la nuit, c'était une féérie.
« Merci Maître Hibou, merci Valentin », murmura Loup.

En souriant, il poussa la porte et...

Quelle surprise ! Au milieu de son salon, il y avait
un magnifique sapin, avec un petit mot de Joshua :
« J'ai décoré ce sapin pour toi, j'espère qu'il te plaira ! »

Sur la cheminée, des santons étaient posés, et un petit mot
de Louve disait : « J'ai choisi ces santons pour toi, c'est
Demoiselle Yéti qui les a installés. Bisous de ta Louve chérie. »

Dans la cuisine, Loup trouva une boîte de biscuits et
un mot de Gros-Louis : « Ces biscuits de Noël sont pour toi, Loup.
Rassure-toi, ils sont au chocolat ! »

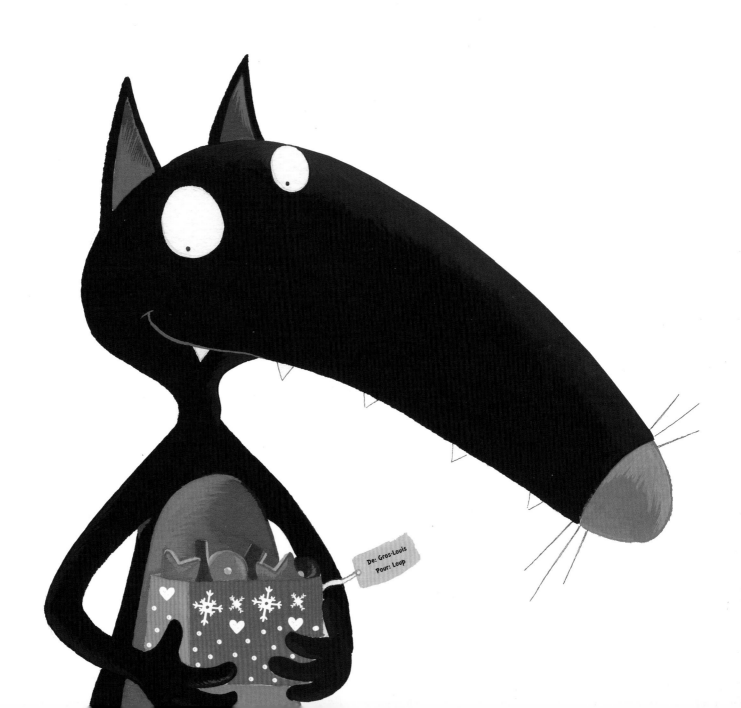

De: Gros-Louis
Pour: Loup

Il y avait aussi des bougies par-ci, par-là,
et un gros tas de bois tout juste rentré.

Le lendemain, Loup se prépara avec soin pour le réveillon de Noël. Il mit son plus joli costume, se versa quelques paillettes sur la tête, acheta des fleurs pour Louve et des petits paquets de chocolats pour chacun des invités.

Quand Loup retrouva ses amis pour le réveillon de Noël, il leur dit :
« Merci les amis ! Grâce à vous, pour la première fois, je passe
un merveilleux Noël. Et maintenant, bon appétit ! »

Ce fut une soirée chaleureuse, et tout le monde
eut beaucoup de mal à se quitter.
« On se retrouve demain pour jouer dans la neige ?
demanda Loup avant de partir.
– Oui, oui ! » répondirent ses amis.

Loup ne vit pas Gros-Louis qui faisait un clin d'œil
à Demoiselle Yéti, ni les autres qui riaient d'un air
un peu bêta…

Le jour de Noël, Loup se leva tôt. Quelle ne fut pas sa surprise en découvrant au pied de son sapin... des cadeaux ! Et ce petit mot :

« Cher Loup, Désolé de t'avoir oublié si longtemps, mais grâce à tes amis qui m'ont écrit, cette année j'ai pu te gâter ! Signé : Le Père Noël. »

Tout excité, Loup se précipita vers ses paquets.
Il y en avait beaucoup à déballer.
« Merci, Père Noël ! » murmura Loup, tout ému.

Puis il fila rejoindre ses amis qui l'attendaient pour la plus grande bataille de boules de neige de l'année.

À l'année prochaine Loup !

Direction générale : Gauthier Auzou
Responsable éditoriale : Laura Levy
Maquette : Annaïs Tassone
Fabrication : Nicolas Legoll
Relecture : Lise Cornacchia

© 2013, Éditions Auzou
Droits de traduction et de reproduction réservés pour tous pays.
Loi n° 49-956 du 16 juillet 1949 sur les publications destinées à la jeunesse.
Dépôt légal : octobre 2013
ISBN : 978-2-7338-2616-4

www.auzou.fr

 Rejoignez-nous sur Facebook et suivez l'actualité des Éditions Auzou.
www.facebook.com/auzoujeunesse

Mes p'tits albums de Loup

Le loup qui voulait changer de couleur — Le loup qui s'aimait beaucoup trop — Le loup qui cherchait une amoureuse — Le loup qui ne voulait plus marcher — Le loup qui voulait faire le tour du monde

Le loup qui voulait être un artiste — Le loup qui voyageait dans le temps — Le loup qui fêtait son anniversaire — Le loup qui découvrait le pays des contes — Le loup qui avait peur de son ombre

Mes grands albums de Loup

Le loup qui voulait changer de couleur — Le loup qui s'aimait beaucoup trop — Le loup qui cherchait une amoureuse — Le loup qui ne voulait plus marcher

Le loup qui voulait faire le tour du monde — Le loup qui voulait être un artiste — Le loup qui voyageait dans le temps — Le loup qui n'aimait pas Noël — Le loup qui fêtait son anniversaire

Le loup qui découvrait le pays des contes — Le loup qui avait peur de son ombre